누에콩과 친구들을 만나요

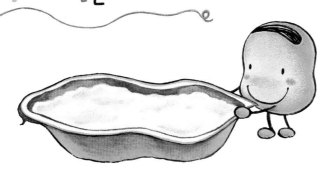

나는 누에콩이에요. 이 콩깍지 침대는
내가 가장 소중히 여기는 거예요.

나는 아기송사리예요.

우리는 완두콩 형제들이에요.

나는 초록풋콩이에요.

나는 땅콩이에요.

나는 껍질콩이에요.

누에콩의 기분좋은 날

어제도 오늘도 주룩주룩 비가 내렸어요.
누에콩과 친구들은 비를 피하고 있었어요.
"아아! 밖에서 못 노니까 심심하다." "비가 그만 왔으면 좋겠다."

다음 날 아침, 눈을 떠 보니 하늘이 파랗고 맑게 개어 있었어요.
"와, 오늘은 놀 수 있겠다!" 신나게 밖으로 뛰어나갔는데,
놀이터가 그만 웅덩이로 변해 있었어요.

"어, 못 놀겠네!" 모두가 실망하고 있는데,
완두콩 형제들이 말했어요. "좋은 생각이 났어!"

완두콩 형제들은 작은 나뭇가지와 잎사귀로 노를 만들었어요.
그런 다음 침대를 웅덩이에 띄우고 스륵스륵 노를 저었어요.
"와, 침대 배다!"
초록풋콩도 껍질콩도 땅콩도 덩달아 뱃놀이를 시작했어요.

"누에콩아, 너는 왜 안 놀아?" 땅콩이 물었어요.
"난 안 놀 거야. 보물 같은 내 침대가 젖으면 안 된단 말이야!"

모두들 노래를 부르면서 침대 배를 저어 갔어요.

우리 침대는 정말로 멋지다네.
근사한 배가 되어 두둥실 두리둥실-

누에콩은 큰 침대를 질질 끌면서 뒤따라 갔어요.
"신나겠다. 나도 타 보고 싶은데……."

"얘들아, 나도 좀 태워 줘!" 누에콩이 친구들에게 부탁했어요.
"안 돼, 안 돼. 너는 너무 커서 배가 가라앉는단 말이야."
아무도 누에콩을 태워 주지 않았어요.

"땅콩아, 네 배에는 나도 탈 수 있을 거야. 좀 태워 줘!"
누에콩은 다시 한번 부탁했어요.

"좋아. 그럼 잠깐만이야."
땅콩은 누에콩을 태우고 조심조심 노를 저었어요.
"와우, 출발!" 누에콩이 외치는 순간, 배가 기우뚱하더니……

"앗!"

땅콩의 배가 뒤집히면서 누에콩과 땅콩이 물에 빠졌어요.
"안 떠오르네. 어떻게 된 거지?"
모두들 두 친구를 걱정하고 있는데……

"푸아!"
누에콩과 땅콩이 물속에서 고개를 쏙 내밀더니 말했어요.
"우리, 굉장히 예쁜 걸 발견했어!"

"정말? 그게 뭔데? 우리도 가 보자."
친구들은 다 함께 물속으로 뛰어들었어요.

"와, 정말 예쁘다!"
물속에는 조그만 물방울이 송골송골 맺힌
꽃이 가득 피어 있었어요. "너무 예쁘다!"
모두 물속 풍경에 정신이 팔려 있는데,
껍질콩이 말했어요.
"어, 왜 이런 데 아기송사리가 있지?
어떻게 된 거야?"

"비 때문에 시냇물에서 떠내려와 길을 잃었어."
아기송사리가 대답했어요.
"큰일이네! 빨리 시냇물로 돌아가야 할 텐데……."
"어떻게 돌려보내지?"

친구들이 이 생각 저 생각 머리를 짜내고 있는데
초록풋콩이 외쳤어요.
"그래, 바로 그거야! 우리 침대로 옮겨 주면 되잖아."
모두 대찬성이었어요!

그런데, 초록풋콩의 침대는 너무 작아서
아기송사리가 떨어질 것 같고,

껍질콩의 침대는 너무 얇아서
물을 담을 수 없었어요.

완두콩 형제들의 침대는
물을 담는 순간 휘청 휘고 말았고요.

땅콩의 침대는 너무 좁아 아기송사리가 답답해했어요.
"어떻게 하지? 다 잘 안 되네."

그때, 누에콩이 말했어요.
"내 침대로 옮기자!"

누에콩은 보물 같은 자기 침대에 물을 담기 시작했어요.

"누에콩아, 네 멋진 침대가 다 젖잖아!"

모두 깜짝 놀라고 있는데, 누에콩이 우쭐해서 말했어요.

"역시 내 침대가 최고라니까. 커서 물도 넉넉하게 담을 수 있고."

누에콩의 침대에 물을 가득 담고
친구들은 힘을 합해 아기송사리를 옮겼어요.
"영차, 영차! 영차, 영차, 영차!"

시냇가에 다 왔어요. 누에콩과 친구들은
아기송사리를 살며시 놓아 주었어요. "건강하게 잘 지내!"
친구들이 손을 흔들자, 아기송사리는 기쁜 듯 폴짝 뛰어올랐어요.

어둑어둑 날이 졌어요. 모두들 노래하며 돌아왔어요.

우리 침대는 정말로 멋지다네.
근사한 배가 되어 두둥실 두리둥실-
우리 침대는 정말로 멋지다네.
신나는 꿈을 꾸며 새근새근 쿨쿨-

밤이 되어도 침대가 마르지 않았어요.
오늘 밤은 나뭇잎 이불을 덮고 자기로 했지요.
"내일도 날씨가 맑았으면 좋겠다. 안녕, 잘 자!"

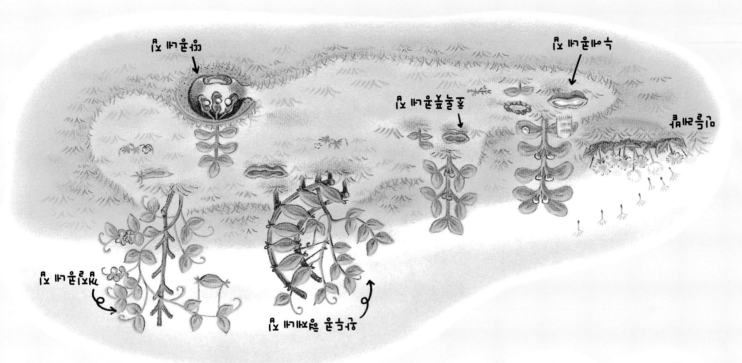

글을 쓰고 그림을 그린 **나카야 미와**는

일본에서 태어나 대학에서 조형과 그래픽 디자인을 전공하고, 산업 디자이너로 일했다.

주요 작품으로는 〈도토리 마을의 모자 가게〉〈도토리 마을의 빵집〉〈누에콩의 기분 좋은 날〉

〈누에콩의 새 침대〉〈채소 학교와 파란 머리 토마토〉 등이 있다.

귀여운 캐릭터들의 활약이 돋보이는 유쾌한 작품들을 주로 선보여 아이들에게 큰 인기를 얻고 있다.

글을 옮긴 **김난주**는

대학에서 우리 문학을 공부하고 일본에서 근대문학을 연구했다. 지금은 일본 문학 번역가로 활동하고 있다.

옮긴 책으로는 〈도토리 마을의 빵집〉〈도토리 마을의 모자 가게〉〈누에콩의 기분 좋은 날〉〈누에콩의 새 침대〉

〈채소 학교와 파란 머리 토마토〉〈올려다보면, 하늘〉〈슈바바바바바 미술관〉 등이 있다.

웅진주니어

누에콩의 어느 봄날

초판 1쇄 발행 2018년 6월 14일 | 초판 9쇄 발행 2022년 2월 3일 | 글 · 그림 나카야 미와 | 옮김 김난주 | 발행인 이재진 | 편집장 안경숙

디자인 전세계 | 마케팅 정지운, 김미정, 신희용, 박현아, 박소현 | 제작 신홍섭 | 국제업무 남단미

펴낸곳 (주)웅진씽크빅 | 주소 경기도 파주시 회동길 20 (우)10881 | 문의전화 031)956-7402(편집), 02)3670-1191, 031)956-7065, 7069(마케팅)

홈페이지 www.wjjunior.co.kr | 블로그 wj_junior.blog.me | 페이스북 facebook.com/wjbooks | 트위터 @wjbooks | 인스타그램 @woongjin_junior

출판신고 1980년 3월 29일 제406-2007-00046호 | 제조국 대한민국 | 원제 そらまめくんのぼくのいちにち

한국어판 출판권 ⓒ 웅진씽크빅, 2018 | ISBN 978-89-01-22301-8 · 978-89-01-02697-8 (세트)

SORAMAMEKUN NO BOKU NO ICHINICHI by Miwa NAKAYA
ⓒ 2006 Miwa NAKAYA
All rights reserved.
Original Japanese edition published by SHOGAKUKAN.
Korean translation rights arranged with SHOGAKUKAN through THE SAKAI AGENCY and BC Agency.
Korean translation copyright ⓒ Woongjinthinkbig Co., Ltd., 2018